あなたへのおくりもの

from ________________________

絵本の音声は２種類あります。

・英語／日本語：７分

・英語のみ：４分 15 秒

I am proud of myself

おとといでもなく
きのうでもなく
わたしは今日がすき

たのしいことも、つらいことも
ぜーんぶ ひっくるめて
今がすき

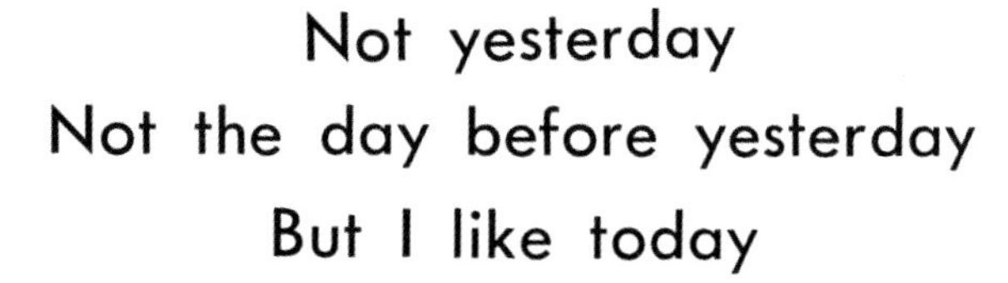

Not yesterday
Not the day before yesterday
But I like today

With all the joy and tears
I like the way I am now.

Once upon a time,
in a beautiful forest,
there was a tiny pond.

むかしむかし、とてもきれいな森に　小さな池がありました。

Tan

One day a tiny tadpole was born.

ある日、小さなおたまじゃくしの赤ちゃんが生まれました。

He was very very proud of

his shiny black body

and his tiny black tail.

かれは、まっくろなからだと、ちっちゃくて、まっくろな

しっぽをとてもじまんしていました。

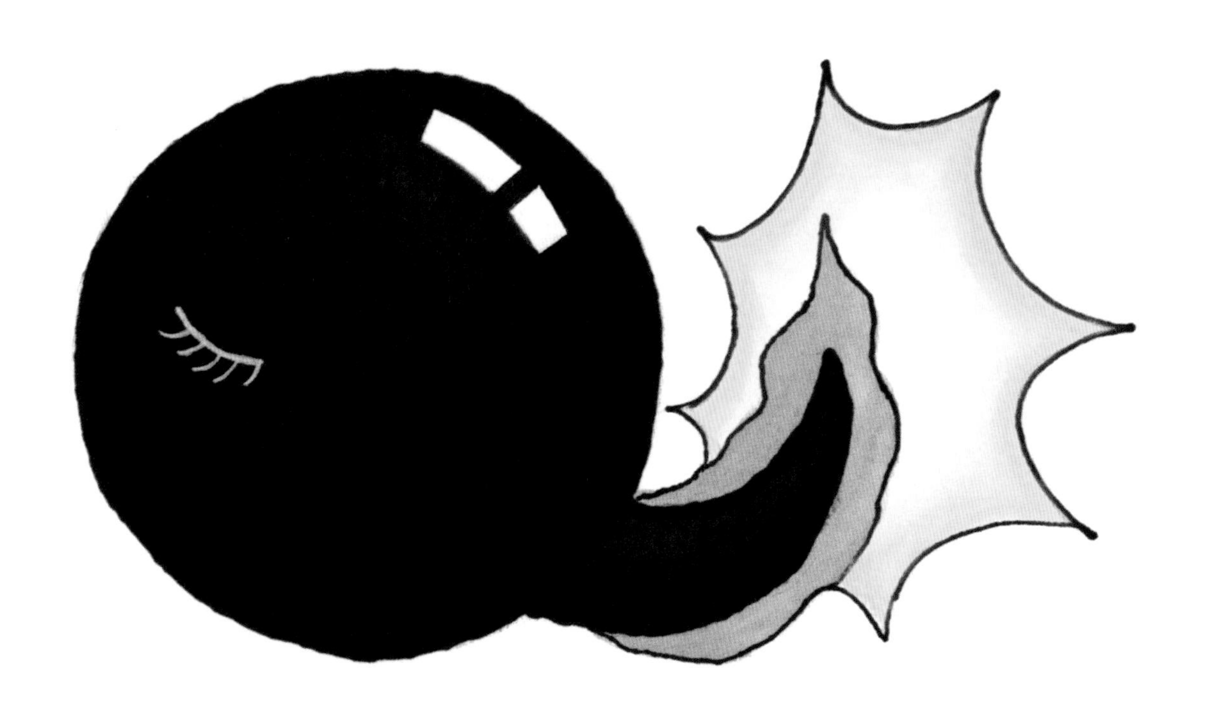

But he didn't know
who his mother was.

"My mother must be very beautiful just like me."

でも、かれは自分のお母さんを知りませんでした。

「お母さんは、ぼくみたいに、とっても きれいにちがいない。」

"That is your mother."

A fish told him.

「あれが、きみのお母さんだよ。」さかながおしえてくれました。

"That ugly thing?

No way!"

"How can such an ugly thing be

my mother?"

He was very angry.

「うっそー

あのへんなのが？」

「あんなのが、ぼくのお母さんのはずがない。」

おたまじゃくしはとてもはらがたちました。

But the next morning...
legs and arms
came out of his body!

でも、つぎの日…。

なんと、手と足が、はえてきたのです。

"WWWWooow...
legs and arms!!"
「なななななんだーこりゃ。」

And then his tail came off!

"WWWhat! My tail!
My shiny black tail!"

そして、しっぽがきえてしまったのです。

「あちゃー！
ぼぼぼくのしっぽが…」

And his black body turned

Greeeeen!

Dirty brownish green!

そして、からだが **みどり** になってしまったのです。

ちゃいろとまざった、とてもきれいとは言えない色です。

"Oh no. Yuck!"

"What on earth have I become?"

「グェッ。どうなっちゃったんだ！」

He was so upset and sad that he didn't want to meet anybody.
"I am not pretty anymore."
"I am not a pretty tadpole anymore."

とてもショックをうけて、
もうだれとも会いたくありませんでした。
「ぼくは、もうかわいくないんだ。
もう、かわいいおたまじゃくしじゃないんだ。」

“I don’t like fish.”

「さかなもきらい。」

“I don’t like anybody.”

「みんなきらい。」

“I don’t like me.”

「ぼくもきらい。」

"I DON'T LIKE ME……"

「ぼくも**大きらい。**」

A huge fish suddenly swam close
He was trying to swallow him.

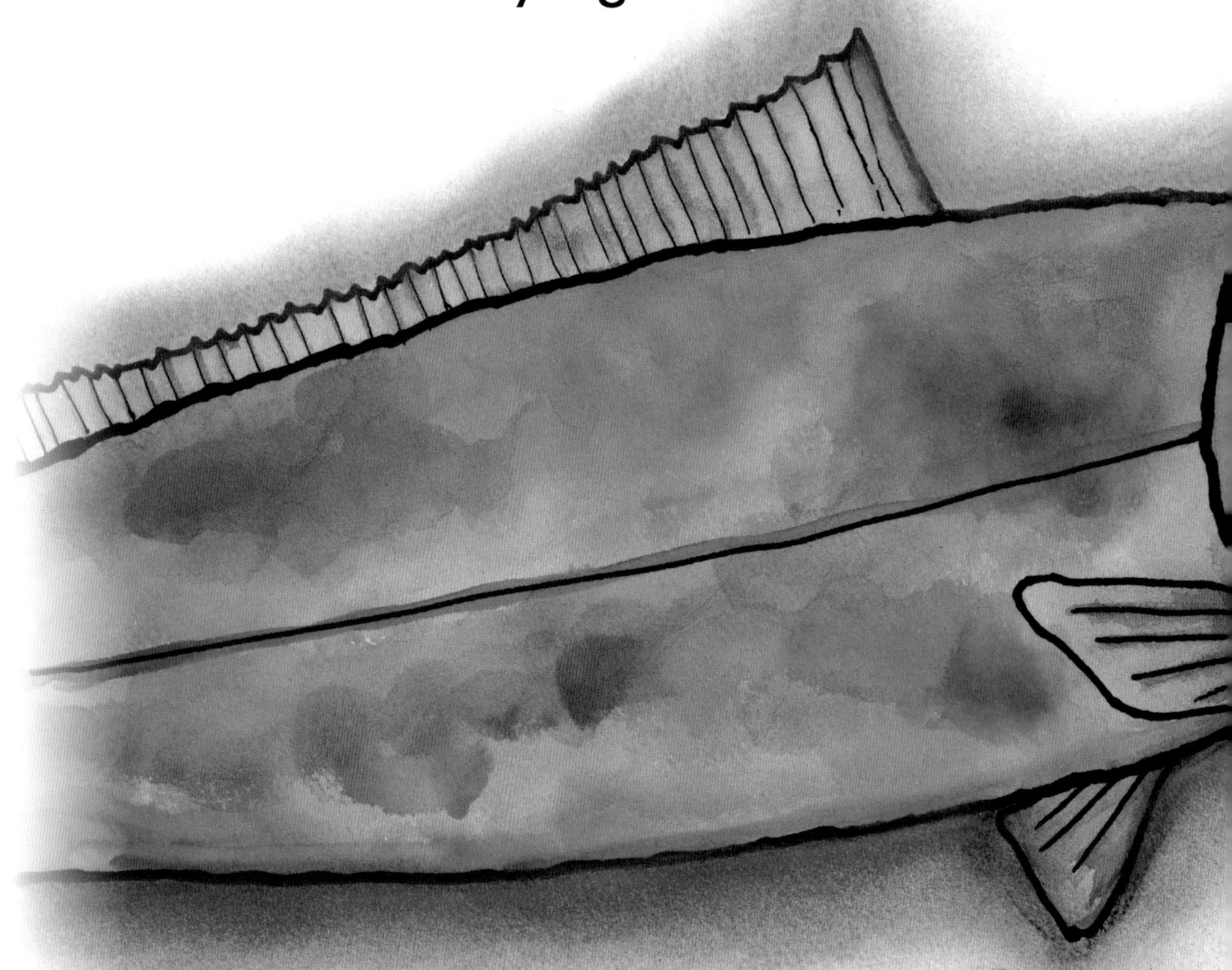

大きなさかながとつぜんあらわれて、

to him.

"Help!"

「たすけてー。」

"A fish is trying to eat me!"

「たべられてしまうよー。」

かれをのみこもうとしました。

But he hopped.
He hopped to the land.

でも、ピョン。じめんの上にピョコンととびのりました。

"Where am I?
What happened to me?"
「あれっ　ここはどこ?」
「どうしたんだろう?」

"I can hop!"

"I can hop!"

"I can hop!"

"Look! I can HOP!"

「ヤッホー

とべる。

とべる。

とべる。

みて！

みて！

みて！

とべるよ！」

Then he fell into the water.

でも、あまりちょうしにのりすぎて、
ドボーンと池におっこちてしまいました。

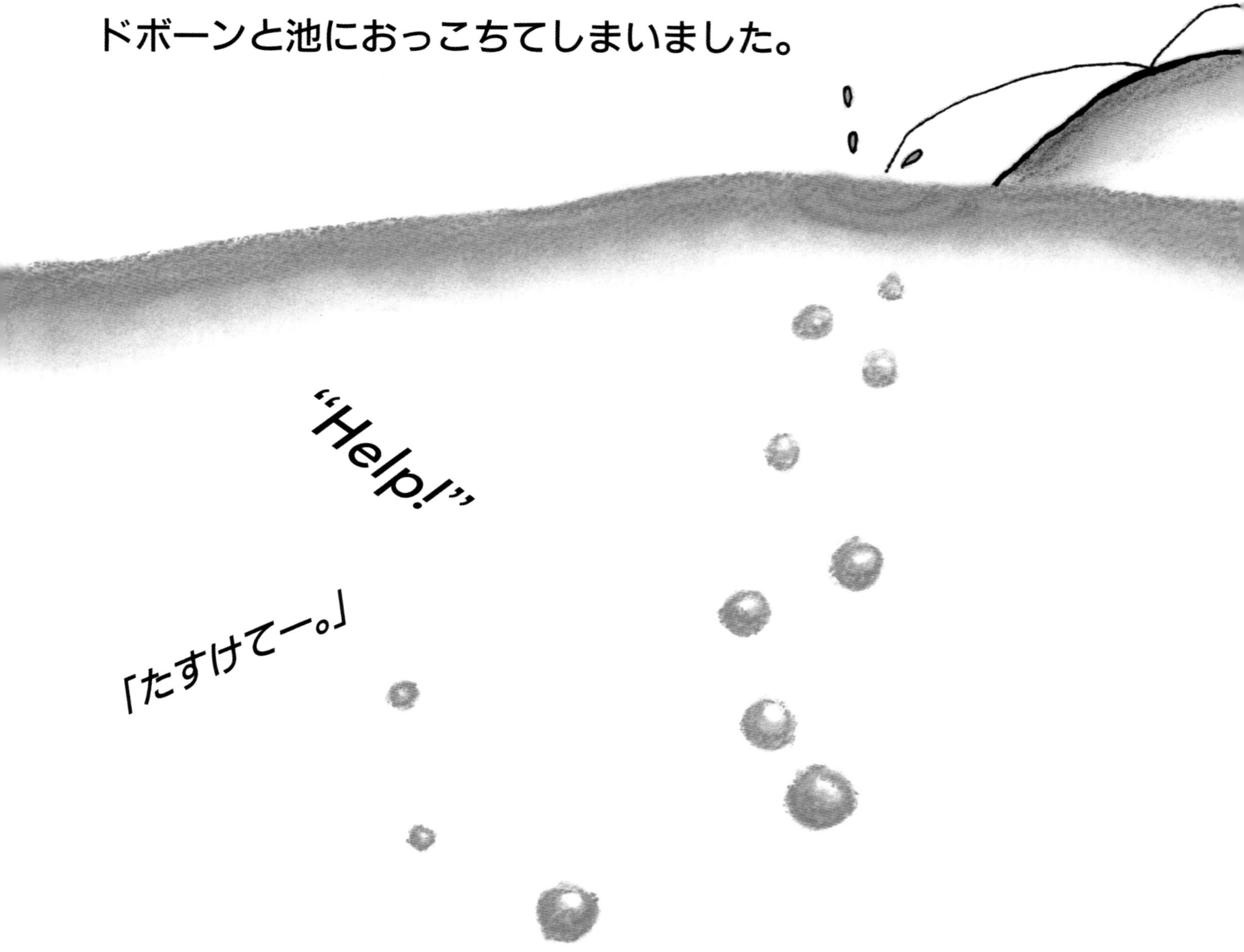

“Help!”

「たすけてー。」

"I'm drowning!"
「おぼれるよー。」
"I'm dying...!"
「しんじゃうよー。」

でも、かれはおよぎかたをしっていたのです。

「およげるぞ。　水のなかでおよげるし、

おかの上ではとべるんだ。

ぼくは、なんでもできるんだぞー！」

But he remembered he could swim.

"Hey! I can swim in the water.

I can hop on the land, too.

I can do anything!"

Then he saw his reflection
in the pond.

"Well... I'm not very handsome...
but... I think I look pretty good.
And I am proud of myself."

池に自分をうつしてみました。

「やっぱり、あまりかっこよくはないけれど、
けっこう、きまってるよね。」

「きみも、自分をみてごらんよ、

きっとすてきだから。」

Ton

ともだちだから
'Cause You're My Friend

Oh, my dear friends, ともだちよ
Please do not cry, 泣かないで
There's got to be something,
Though it may be little,
There's got to be something,
Something we can share.

Oh, my dear friends, ともだちよ
Please do not cry, 泣かないで
何かがある　小さいけれど
きっと何か　分かち合えることが

あなたが何でも　あなたがだれでも
あなたがどこにいても We love you so,
Whatever you are, Whoever you are,
Wherever you are, ともだちだから

歌の音声を
ここから開けます

Oh, my dear friends, ともだちよ
Please look at me. 目をむけて
There's got to be something,
Though it may be little,
There's got to be something,
Something we can see.

The trees are there,
The stars are there,
The sun is there,
Waiting just for you.

The trees are there,
The stars are there,
The sun is there, ともだちだから

Oh, my dear friends, ともだちよ
Let's sing the song, うたおうよ
La la la la la la la la la la la....

Lyrics & Composed by Mikiko Nakamoto
Arranged by Larry Knapp

本書は、あなたへ、
そして私への贈りものです。

自身の自己肯定感（Self-esteem）

自分自身と自分の運命をありのままに受け入れ肯定することは簡単そうで、とても難しいことです。自身を過大評価したり過少評価してしまうことによって、虚勢を張ったり高圧的・優越的な態度で人に接したり、また逆に自己を否定し、劣等感や罪悪感で卑屈になることもあります。自信がないから自分の居場所がわからない。そのため自信のない者同士が集まり、他人を否定し見下すことで辛うじて自分の存在を保っている。 いじめの問題もまさに自分に自信が持てない者達が他の“だれか”を否定することによって自分達を肯定しようとすることから起きているように私には見えます。残念ながら、この“他を否定して自分の存在を保とうとする態度”は子供達の社会だけでなく、大人になっても歳を重ねてもなくなることがありません。もしも自己肯定力が彼らにあれば、いじめも少なくなるのでないかと思います。

自分や自分の環境を他の人と比べて「優れている、幸せ(very good)/劣っている、不幸」ではなく、「これでよい」（good enough） ととらえて受け入れることが大切です。「これでよい」というのは現実に妥協したり、諦めたり、努力を止めることではありません。

私はこの絵本の最後のカエル君のセリフ “I am proud of myself.” の後の文章を前の文から続けて、「やっぱり、あまりかっこよくはないけれど、けっこう、きまってるよね」「きみも、自分をみてごらんよ、きっとすてきだから」という日本語で入れました。人は自分を客観的にとらえ前向きに受け入れることによって、初めて現時点から第一歩を歩み出せるのです。「夢」を持つことはよいことです。でも夢のまま終わるのではなく「目標」や「計画」に変え、「目標達成」に向かう道は、現時点の自分を客観的かつ肯定的に受け入れることから始まります。

一方、あなたに予期せぬ不幸や不都合なことが起こった時、「なぜ私だけがこんなことに？」「あの時〜すればよかった…」など考えてしまうと思います。でも、後悔しても悲劇の主人公になっても何も始まりません。 嘆いたり怒ったりする時間こそが無駄です。 起こったその事実を現実として受け入れることによって、 ようやく、 次に何をすべきかが見えてくるのです。

子供達の自己肯定感（Self-esteem）を育む

子供達の自己肯定感を育む大きな要因の一つに養育者（お父さんお母さんや周りの大人達）や保育園、幼稚園、学校の先生の存在が挙げられます。アメリカの心理学者マズロー（Maslow, A,1954）の「人間の基本的要求」によると子供達の人格形成の過程には安全-security/安定-stability / 依存-dependency/保護-protection / 恐怖からの自由があり、その次に所属性（belongingness）と愛情および愛慕（love and affection）の要求があります。子供達には、常に守られ、安心できて、自分のまま受け入れてくれる“場”が必要で、その“場”とは彼らが所属する家庭であり幼稚園、保育園、学校、地域社会です。子供同士を比べるのではなく個々を認め、受け入れ、尊重し愛しましょう。“甘やかす”のではなく、日々の中で子供の発達段階に合った課題を示し、励まし、導き、子供達自身で課題を解く達成感を味わう機会を作りましょう。この達成感を積み重ねることで努力の大切さと尊さを学び、自分に自信を持つことができるようになります。

いじめをしている子に「～ちゃんをいじめないで」と言うと「いじめてないよ。ふざけて遊んでるだけ」と返ってきます。そんな時私は「相手の嫌がることはしない」という言葉を彼らに伝えてきました。自分と違った習慣・感受性・価値観・意見・外見・行動様式を持つ他の人を尊重（respect）することを教えましょう。そのためには大人自身が自己肯定感を持っていなければならないと思います。

英語教育と自己肯定感

50年を超える児童英語教育の実践を通して、私は、英語教育とは、語彙や文法を教えることではなく、自分で言葉を選び、自分の考えを持ち、相手とコミュニケーションを取ることであると痛感してきました。語彙や文法はそのための手段の一部にすぎません。子供達が自主的にコミュニケーションを取るには、彼らの自己肯定感が大きな役割を果たしていることを、実感を伴ってわかったのです。子供達を比較することなく、彼らの今を受け入れ（英語が好きな子も、嫌いな子も、じっと座っているのが苦手な子も、宿題を忘れる子も、嫌々教室に来ている子もみんな）、彼らの自己内の成長を促す活動こそが真の教育だと思います。

拙書『We are Japanese やねん』（アプリコット出版刊）の中に、「英語を教えているのですか？いいえ。子供達から好奇心を引き出しているのです」という章があります。教師も親も、子供達と一緒にさまざまなことを体験し、学びながら生きています。こんなに素晴らしい仕事はない、と思います。

自身の英語教室AIM English Studio設立15周年を記念して、物語を作り、絵も自分で描いて出版したこの絵本は、初版から25年が経ちました。当時40代後半だった私もそれなりの歳になり、我が拙作のこの絵本の巻頭の詩の意味が、自分で作ったにも関わらず、より心に響くようになりました。この絵本の最初のページにあるので、改めて読んでみてください。

歳を重ねていくと、決して明るく楽しい日々が待っているわけではないことを私たちは理解しています。心身の劣化も実感しますが、嘆いたり人を羨むことなく、自分の歩んできた道を振り返って奢ったり、過ぎ去った日々に固執したり悔やんだりもせず、今のありのままを肯定し、楽しみながら生きていこうと思います。どんな事が起こっても「想定内さ」と笑って対処できる強さと明るさを持って。

With all the joy and tears, I like the way I am now.

たのしいことも　つらいことも

（そして　さまざまな老化現象や　病気さえも・・・）

ぜーんぶ ひっくるめて　今が好き

この絵本を見ていただくとお分かりのように、さまざまな経験を乗り越えていくカエル君のそばにはいつも青いおさかな君がいます。このおさかな君の存在が、どれだけカエル君を勇気づけたことでしょう。

ストーリーの後には、仲間、友人、家族の存在の大切さを称えて作詞作曲した「ともだちだから 'Cause You're My Friend」の歌を入れさせていただきました。

本書は物語、歌ともに英語と日本語を併記していますが、どちらかの言語を先に書いたわけではありません。ある言語から他の言語に訳したのではなく、伝えたい内容を2つの言語を使って表しました。自己肯定感や、分かち合う人々のつながりの大切さをいろいろな手段で伝えたいと思ったからです。学校で習う長文読解も、英訳や和訳はコンピュータで変換するものではなく、事実から自分が生み出す言葉を使って理解するようになると良いかもしれません。

Acknowledgments

今回、この絵本を復刻版として刊行することをご決断いただいたアプリコット出版代表取締役 山口靖氏に心から御礼申し上げます。絵本制作当時、音声を担当してくださったMelvin Cruz氏、萬田有加子さん、歌を編曲し歌ってくださったLarry Knapp氏にも改めて感謝いたします。また、ラーニングワールドシリーズ、キッズ英語絵本シリーズ、チャンツde絵本・ソングde絵本シリーズ、『実践家からの児童英語教育法 全3巻』他、長年にわたり一緒に戦い、喜び、制作してきたアプリコット出版編集長 新井顕子氏にも心から感謝したいと思います。

中本　幹子

M. Nakamoto

著者紹介

中本 幹子
Mikiko Nakamoto

兵庫県芦屋市在住。1949年7月生まれ。U.S.Aワシントン州ショークレストハイスクール卒業。関西大学大学院文学科心理学科中退。全日空CAを経て1974年結婚。1976年に夫を癌で亡くす。1982年アメリカ留学中に体験したActive Learningを日本に紹介したいと考え、英語スクールAIM English Studioを開校。生徒数8人でスタートしたStudioが10年で生徒数550人の学校に成長。英語教師 ＆ 経営者として奔走する傍ら、帝塚山小学校、大阪教育大学付属天王寺中学校、羽衣国際大学、京都ノートルダム女子大学ほか、教育委員会主幹の小学校英語教育勉強会の講師などを務める。「暗記中心の英語教育」を「自らが言葉を選び自己表出できる英語教育」にするべく教授法を考案し、その理念を具現化した３歳から中学生向けコースブックの執筆に従事する。同シリーズは初版以来28年にわたるロングセラーとなる。また、2000年から始まったアプリコット出版主催・現役の英語教師を対象とした「児童英語教師養成講座」修了生は全国で300名を超える。

著 書：児童英語コースブックLearning Worldシリーズ（全9巻）/ 教育エッセイ『We are Japaneseやねん』/ キッズ英語絵本シリーズ全10巻 / チャンツde絵本・ソングde絵本（8巻） / 『実践家からの児童英語教育法』解説編・実践編AB・実践編 CD（全3巻）ほか多数。

本書は、1997年に著者が主宰する英会話スクールの設立15周年記念として出版された絵本の原版をもとに、このたびアプリコット出版株式会社の教材出版50周年の記念に「復刻版」として発刊したものです。復刻版刊行にあたり、歌および著者からのメッセージ（pp.38-41）を追加しました。

自己肯定感をはぐくむ絵本

あなたへのおくりもの

I am proud of myself.

原 版

著　者一中本 幹子

デザイン指導一高橋 邦子

表紙文字一藤田 功

絵本ナレーション一Melvin Cruz／萬田 有加子

初　版一2023年6月30日

制作協力一マメデザイン 久保 節子

歌: ともだちだから 'Cause You're My Friend

作詞作曲一中本 幹子　歌一Larry Knapp

発 行 所一アプリコット出版株式会社

発 行 者一山口　靖

東京都中央区日本橋蛎殻町1-17-2-209　TEL: 03-3660-5120

印刷・製本一株式会社NOCOM

 ISBN978-4-89991-840-0